从小爱科学
有趣的物理

谁是今年的圣诞老人？

摩擦力

文/（韩）黄因顺　图/（韩）尹奉善　译/王艳

CNS
PUBLISHING & MEDIA
中南出版传媒

湖南少年儿童出版社
HUNAN JUVENILE & CHILDREN'S PUBLISHING HOUSE

让孩子们的好奇心
飞翔起来

影子是怎样产生的？生暖炉为什么能让屋子变热？冰鞋为什么能在滑冰场上滑行？磁铁为什么能将铁制玩具吸走？地球上无论哪个地方的人们为什么都能稳稳当当地站在地面上……大千世界无时无刻不在吸引着孩子好奇的目光。孩子的小脑袋里总会接二连三地蹦出各种各样的问题。我们在日常生活中常常遇到的这些再自然不过的事情，在孩子那里，却成了无数个"为什么"的来源，而且，这些看似平常的"为什么"，往往能够问倒家长。

其实，这一个个"为什么"正是孩子认识世界、了解世界的开始。如果经过很好的激发和引导，孩子最初的好奇心往往可以转变成他们对某种事物的兴趣；而孩子的求知欲和探索精神也正是在一次次地提出"为什么"且一次次找到答案的过程中培养起来的。因此，我们不妨静下心来，听听孩子们内心的疑问，再带着他们去观察，去动脑筋，去寻找答案。

"从小爱科学"这套丛书，其素材来源于日常生活，而且恰恰是孩子心中最容易产生疑问的那些事物。这套书的妙处在于，它是以讲故事的方式向孩子们讲述科学知识的，文字朗朗上口、充满童真。那些故事中的情节，很多孩子都曾亲身经历，因此极易产生共鸣：原来他们在游乐场也遇到过这样的情况，原来他们在家也问过这样的问题，原来这个问题是这么回事呀！

这套丛书的妙处还在于，它是以孩子最喜爱的图画书的形式来讲述科学知识的。每一段简单的文字都配上了可爱的图画，将科学知识融于其中，浅显易懂、趣味十足，将孩子牢牢地吸引。

科学图画书该如何阅读呢？就"从小爱科学"这套丛书而言，家长可以根据孩子的年龄、阅读经验、知识掌握情况来进行适当的指导和辅助阅读。年龄小一些、阅读经验还不丰富的孩子，家长可以与他们进行亲子共读；而大一些的孩子可以先自己阅读，遇到不懂的地方，再与家长来讨论。

　　在这套书的最后，还有一个附加的部分"我想探索更多"。这个部分不仅对前面故事里所涉及的科学知识进行了总结，还对科学原理进行了更深一层的阐释，提到了更多相关的知识点，举出了更多的实例。较之前面的故事部分，这个部分理解起来难度要大一些，家长可以根据孩子的实际情况，让孩子有选择地进行阅读：对于年龄大一些的孩子来说，可以作为他们扩充知识面的素材；对于年龄较小的孩子来说，可以暂时先不阅读。这个部分还有一个好处，就是可以作为家长的重要参考资料。在与孩子进行亲子共读之前，家长可以先做做功课，因为只有"知道更多"，才不会被孩子问倒。

　　一起来阅读"从小爱科学"丛书吧！发现和了解生活中的科学，思考和探索科学的原理，让孩子们的好奇心飞翔起来！

据说每年的圣诞节，
圣诞老人都会从你家的烟囱溜到你的床头，
给睡得正香的你送上一份超级惊喜的礼物。
什么？你说你从来没有见到过圣诞老人。
哦，宝贝，咱们去圣诞老人村庄里瞧瞧吧，
那里可有一个，两个，三个……很多很多个圣诞老人。
明天村庄里就要举行圣诞老人选拔大赛了，
只有获得冠军的圣诞老人今年才能给你和你的小伙伴们送礼物。

4

圣诞老人选拔大赛

6

唰唰唰，沙沙沙，咔哧咔哧。
夜深了，小村庄里格外安静。
咦，这三个圣诞老人怎么还没有睡觉，
他们在忙些什么呢？

天亮啦，比赛正式开始了。

第一轮比赛——看哪个圣诞老人最快把礼物袋搬到雪橇上。

预备，当！

"嗨哟，嗨哟！"

"加油，加油！"

"哇，乌龟都快赶上你啦，快点呀！"

只见"大肚子"圣诞老人和"红鼻子"圣诞老人

正吃力地推着大大的礼物袋，

而"长胡子"圣诞老人却滑溜溜地运着礼物袋，大步向前跑去。

当！第一轮比赛结束，"长胡子"圣诞老人胜出。

10秒！这个优秀的成绩刷新了纪录。

观众们兴奋得把手都拍红了，

"真是太厉害了，圣诞老人村以往所有的纪录都被你打破了。"

他们赞叹着，"可是你到底是怎么做到的呢？

你的礼物袋像自己长了两条腿似的，跑得飞快。"

"我昨晚琢磨了一个晚上，终于想出……好办法，

那就是，我在礼物袋的外面套了一层光滑的塑料膜，

这样礼物袋和地面的摩擦力就会变小，

礼物袋更容易滑动了。"

◎摩擦力

相互接触的两个物体，当它们发生相对运动或有相对运动趋势时，就会在接触面上产生一种阻碍相对运动的力，这种力就叫摩擦力。

◎怎样减小摩擦力？

减小物体接触面粗糙程度，摩擦力就会变小。礼物袋外面套上塑料膜，礼物袋与地面接触面变得越光滑，摩擦力就会越小，礼物袋就会滑得更快；滑梯的表面制作得非常光滑，也是为了减小摩擦力；人们在机器上涂抹润滑油，加润滑油可以在摩擦面之间形成一层油膜，机器运动部件只在油膜上滑过，大大减小了摩擦力。

"真是只狡猾的狐狸，难道我们就这样认输吗？"

"大肚子"圣诞老人和"红鼻子"圣诞老人着急不已。

预备，当！

第二轮比赛——看谁的雪橇跑得最快，正式开始啦！

"驾！驾！"

"加油！加油！"

小鹿们听到主人的命令，像离弦的箭一般向前面飞驰着。

13

"小鹿乖！快点跑！我要让他们见识见识我们的'超级武器'。"
"红鼻子"圣诞老人渐渐地跑到了最前面，
这时，只见他跟他的小鹿小声地说着话，
然后，他从雪橇里拿出了什么东西，向雪地里撒去。

紧接着，后面追上来的两辆雪橇却突然间慢了下来。

"好奇怪啊，雪橇怎么这么慢了？"

"'红鼻子'在搞什么鬼？"

"长胡子"圣诞老人和"大肚子"圣诞老人面面相觑，

可是等他们仔细往地上一看，啊，原来雪地上撒了好多的沙子。

原本滑溜溜的雪地变得粗糙不平，雪橇与地面之间的摩擦力也增大了，

所以"长胡子"圣诞老人和"大肚子"圣诞老人的雪橇才会慢了下来。

◎怎样增大摩擦力？

表面越粗糙，摩擦力就越大。自行车的手柄凹凸不平，其目的就是为了增大摩擦力。只要摩擦力够大，骑起自行车来就不会手滑了；橡胶手套的表面也是非常粗糙，这也是为了增大摩擦力。戴着橡胶手套洗碗时，摩擦力够大，碗就不容易从手中滑落；运动鞋的鞋底凹凸不平，当我们走路的时候，鞋底与路面相接触的部分产生的摩擦力够大，我们才不容易摔倒。

"太坏了！'红鼻子'这一招太坏了！"
"太坏了，太坏了，
这样会伤害到我们的宝贝小鹿和雪橇的。"
观众们好生气，他们纷纷提出抗议，
"红鼻子"圣诞老人被赶出了比赛，
而且两年之内不得参加比赛。
"唉，这下全完了……"
"红鼻子"圣诞老人后悔不已，
因为在圣诞老人村庄，
除了给小朋友的礼物之外，
还有什么比小鹿和雪橇更珍贵的呢？

现在只剩下"大肚子"圣诞老人和"长胡子"圣诞老人继续比赛。
"驾！驾！""快跑！快！"
突然，"大肚子"圣诞老人嗖嗖地跑到了前面，
就像使了魔法一般。

"哇！怎么回事？"
"不可能吧！太快了，这个速度有流星那么快。"
观众们议论纷纷，这么多年的比赛，
他们可是第一次看到有人驾雪橇可以驾得这么快。

"因为我也有个秘密武器，"
"大肚子"圣诞老人骄傲地说，
"你们都想不到吧，我把雪橇底板擦得光滑了许多。
将接触面弄光滑就能减少摩擦力。
来，我们来给大伙儿表演飞一个吧。"

◎为什么滑冰场里那么滑呢？
当我们穿着冰鞋在滑冰场里滑冰时，与冰鞋刀片相接触的冰面就会融化成水。这些水在冰鞋和冰面之间形成了一层润滑膜，让冰鞋与冰面之间的摩擦力变小，所以我们就可以自由地滑动。

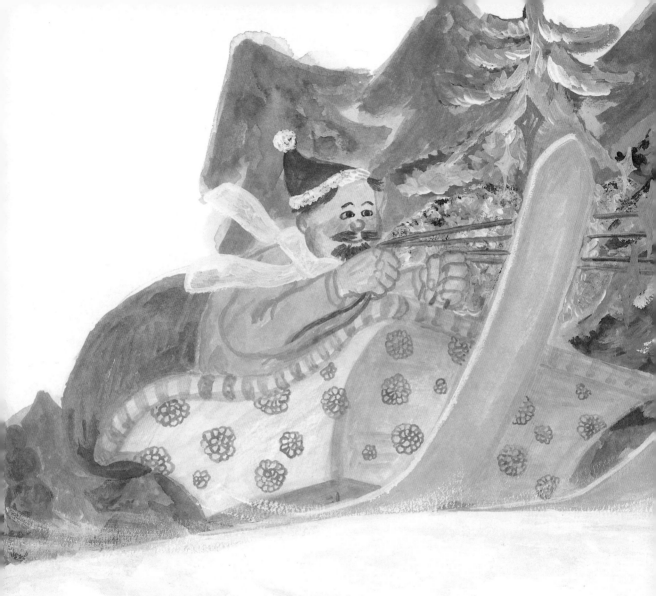

"这可怎么办？难道就没有什么方法能快些了吗？
我可不想把冠军的宝座送给我前面的那个家伙，
我得跑到他的前面去。"
被远远甩在后面的"长胡子"圣诞老人越来越着急了。

23

哦，有了！
"长胡子"圣诞老人想出一个好主意。
咣当咣当！咣当咣当！
他在做什么呢？
什么！有没有搞错！
他竟然打开礼物袋，扔掉了所有的礼物！
正在观看的圣诞老人们惊呆了，
"原来雪橇变轻会跑得更快啊！"

24

真的变快了！

"长胡子"圣诞老人越来越逼近"大肚子"圣诞老人，

终于，在比赛结束前的 0.01 秒，

"长胡子"圣诞老人超过了"大肚子"圣诞老人。

"耶，我是冠军！我是冠军！"

"长胡子"圣诞老人兴奋地呼喊着。可是……

"圣诞老人竟然把礼物扔掉了！

他还是圣诞老人吗？"

"太不像话了，

这真是我见过的最笨最笨的主意了！"

"得不到礼物的小朋友要怎么办？"

村庄里的所有圣诞老人都非常不满"长胡子"圣诞老人的做法，
最终认定"大肚子"圣诞老人才是比赛的冠军。
"哇！太棒了。"
"大肚子"圣诞老人
可是第一次在比赛中拿冠军，
他太高兴了，
于是他做出了一个重大的决定：
今年的圣诞节，
他要给每个小朋友送出两份礼物，
是的，你没有听错哦，
不是一份，是两份！

祝贺我们的冠军

29

我想探索更多

◎什么是摩擦力呢？

两个相互接触的物体，当有相对运动或有相对运动趋势时，在接触面上产生的阻碍运动的作用力，就叫摩擦力。摩擦力通常作用在与物体运动方向相反的方向。物体之间的接触面越粗糙，摩擦力就越大。因此，我们在粗糙的地面上移动物体要比在光滑的冰面上移动物体困难得多。

◎摩擦力有什么作用呢？

在我们的日常生活中，随处都可以找到有摩擦力作用的例子。有些情况下摩擦力越小越好，而有些情况下摩擦力越大越好。

在滑雪场滑雪或者在溜冰场溜冰的时候，总是想要滑得越快越好，这种情况下，当然摩擦力越小越好。但是在踩单车需要减速时，也就是说想让快速运动的物体停下来的时候，摩擦力就越大越好。

◎什么是摩擦热？

冰鞋能够在滑冰场上滑行，可不光是因为冰面很平滑，其实更重要的原因是，冰鞋的刀片和冰面之间产生了摩擦，冰面与刀片之间就有了热能。这种热能被称为摩擦热，摩擦热会使与冰鞋接触的冰面融化成水，水在刀片与冰面之间起到了润滑的作用。因此，冰鞋能在冰面上顺利地滑行。

◎ 如果地球上没有摩擦力呢？

你有没有在寒冬的冰面上摔跟头的经历呢？那是因为冰面上摩擦力小，走起路来很容易滑倒。

另外，在我们洗手的时候，只要在手上抹了肥皂，就会感到滑腻。如果用沾满肥皂泡的手去扭动门把手，就会感觉门把手变得滑起来，根本扭不动。这就是因为手与门把手之间的摩擦力变小的缘故。

因此，如果地球上没有摩擦力的话，比这更困难的事情会多得数不胜数。因为在没有摩擦力的情况下我们根本无法在路上行走，也无法抓住任何物体。而且，没有摩擦力的话，车子既无法开动，也无法停止。

◎ 怎样减小摩擦力？

现实生活中，我们也有很多时候需要减小摩擦力。如为了减小与空气的摩擦，小汽车的外形总是设计成流线型。人们甚至还发明了通过避免与地面的接触来减小摩擦的磁悬浮列车。

闹鬼的房子

动次打次，快快抓住它

三兄弟与三只恶魔

奔跑吧，电子！

面包诞生记

任性国王抓"坏蛋"

超级犯人抓捕行动

马蹄形磁铁小姐找新郎

会变魔法的蛋黄侠

拯救灰星球的罗里里

小仙女的理想世界

爱帮忙的熊

比一比，谁跑得最快？

谁是今年的圣诞老人？

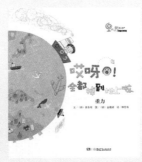

哎呀！全都掉到地上啦

土豆博士的杂技表演

图书在版编目（CIP）数据

谁是今年的圣诞老人？/（韩）黄因顺著；（韩）尹奉善绘；王艳译．
—长沙：湖南少年儿童出版社，2015.11
（从小爱科学．有趣的物理）
书名原文：Who's the Santa of the Year？
ISBN 978-7-5562-1733-5

Ⅰ．①谁… Ⅱ．①黄… ②尹… ③王… Ⅲ．①物理学—少年读物 Ⅳ．①O4-49

中国版本图书馆 CIP 数据核字（2015）第 262241 号

谁是今年的圣诞老人？

策划编辑：周　霞　　　责任编辑：刘艳彬　钟小艳
封面设计：陈　筠　　　质量总监：郑　瑾
版式设计：嘉伟文化 JARL.V CULTURE

出版人：胡　坚
出版发行：湖南少年儿童出版社
地址：湖南长沙市晚报大道89号　邮编：410016
电话：0731-82196340（销售部）82196313（总编室）
传真：0731-82199308（销售部）82196330（综合管理部）
经销：新华书店
常年法律顾问：北京市长安律师事务所长沙分所　张晓军律师

印制：长沙湘诚印刷有限公司（长沙市开福区伍家岭新码头95号）
开本：889mm×1194mm　1/24　　印张：1.5
版次：2015年11月第1版
印次：2016年10月第5次印刷
定价：8.00元